Pour Marie-Louise Viallefont, Renée, Michel, Raphaël,
Pierre-François, Max-André et Tiphaine Haas

Toute ma reconnaissance va à Pauline Dawance
pour sa précieuse collaboration et son solide sens de l'humour!

Un grand merci à Diaka Ndiaye et Jean-Philippe Boule
pour avoir pris part à cette aventure.

M.V.H

Conception et direction artistique : Myriam Viallefont-Haas,
Studio M.V.H. Paris

Participation au texte : Dominique Montembault
et Isabelle Dessomes

MYRIAM VIALLEFONT-HAAS

Le théâtre des
expressions

ILLUSTRATIONS :
RONAN BADEL
CHARLOTTE LABARONNE

MANGO *JEUNESSE*

SOMMAIRE

SOMMAIRE

Se mettre dans la peau du personnage

A

ACTEUR

Se mettre dans la peau du personnage, XIXe siècle

Bien jouer le personnage que l'on va interpréter au théâtre ou au cinéma.

AMOUREUX

Avoir le coup de foudre, XVIIIe siècle

Éprouver un sentiment d'amour immédiat et violent à l'égard d'une personne. La comparaison de l'amour avec la foudre exprime combien le sentiment amoureux est fort et soudain. C'est aussi un engouement soudain pour une personne ou pour une chose.

ARRIVISTE

Avoir les dents qui rayent le parquet, XXe siècle

Cette expression vient d'une autre expression du XIVe siècle : « *avoir les dents longues* », qui voulait dire avoir faim ; son sens a évolué pour devenir avoir une ambition démesurée et a pris d'autres formes : « *avoir les dents qui rayent le plancher* » ou encore « *la moquette* », plus actuel.

ATTENTIF

Être suspendu aux lèvres de quelqu'un, XIXe siècle

Écouter quelqu'un très attentivement, sans perdre une miette de ses paroles. On peut aussi « *boire ses paroles* » ou « *être tout yeux, tout oreilles* ».

Voler de ses propres ailes, XVIIIᵉ siècle
Se débrouiller seul ; agir sans l'aide de personne comme l'oisillon qui quitte son nid. « *Je vous ai fait un mystère de mon travail (...) mais je voulais vous donner le plaisir de la surprise ; je voulais voler de mes propres ailes.* » (Rétif de La Bretonne, *Le Paysan perverti ou les Dangers de la ville*)

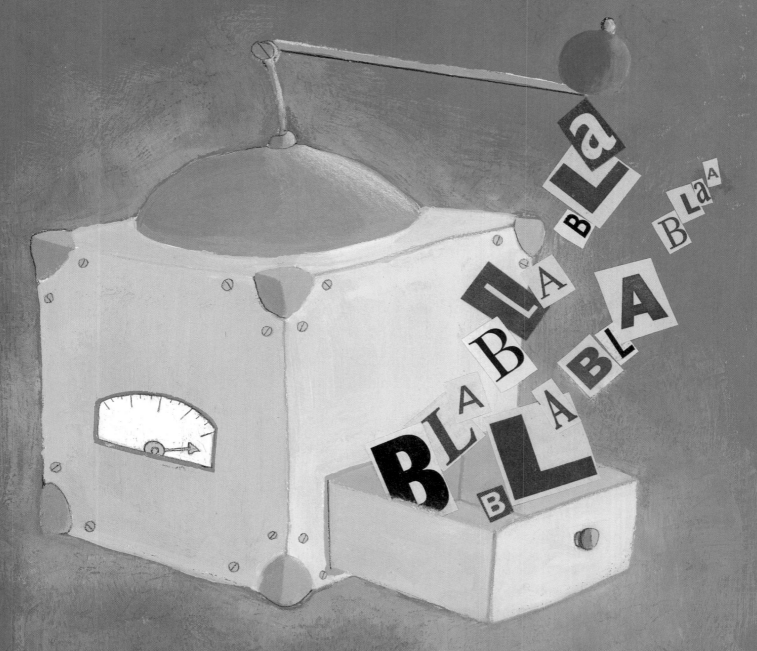

Être un moulin à paroles

B

BAVARDAGE

Être un moulin à paroles, XVIIe siècle

Parler sans s'arrêter ! Le fonctionnement de la langue est comparé au mouvement incessant du moulin à eau. On dit aussi « *bavard comme une pie* » ou « *avoir la langue bien pendue* ».

BIEN-ÊTRE

Être heureux comme un poisson dans l'eau, XVIIe siècle

Évoluer avec aisance dans une situation, comme le poisson dans son élément naturel.

BIENVEILLANCE

Être dans les petits papiers de quelqu'un, XIXe siècle

Être bien vu et protégé par quelqu'un. On dit encore « *être à la bonne* » ou « *avoir la cote* ».

BRAVOURE

Se battre comme un lion, XVIIe siècle

Lutter et faire face à l'adversité courageusement en se battant physiquement ou moralement. « *Quand on est amoureux comme un tigre, c'est bien le moins qu'on se batte comme un lion.* » (Victor Hugo, *Les Misérables*)

BREUVAGE

Jus de chaussette, XIXe siècle
Café trop léger et trop clair. Cette expression est empruntée au langage familier des militaires.

Têtu comme une mule, XVIIe siècle

Buté, obstiné comme la mule, dont la réputation a donné lieu à d'autres expressions : « *entêté comme une mule* » ou « *tête de mule* ». La mule, issue du croisement d'une jument et d'un âne, partage sa réputation d'entêtement avec son frère, le mulet, et son père, l'âne, ou sa tante, la bourrique.

C

CALME

Sage comme une image, XVIIe siècle
Calme et silencieux, comme si l'on était représenté sur une image.
Se dit presque toujours à propos des enfants.

CALOMNIER

Traîner quelqu'un dans la boue, XIXe siècle
Médire de quelqu'un, l'injurier ou encore « *casser du sucre sur son dos* »,
« *le déchirer à belles dents* » comme le font les « *langues de vipère* ».

CALVITIE

Piste d'atterrissage pour mouches, XXe siècle
Se dit d'une personne chauve dont le crâne lisse semble attendre l'atterrissage des mouches ! Le chauve est aussi comparé à une boule de billard, à un œuf ou à un genou au cheveu improbable.

CÉLÉBRER

Porter un toast à quelqu'un ou à quelque chose, XVIIIe siècle
Célébrer un événement ou formuler des vœux en faisant un discours et en levant son verre. Le mot français « toastée » (XIIIe siècle), qui désignait une tranche de pain grillée trempée dans du vin, a donné le mot anglais « toast », revenu en France au XVIIIe siècle dans cette expression. « *Lundi je fais mes paquets, et le soir dîner chez Magny où l'on portera des toasts au père Sainte-Beuve, sénateur.* » (Gustave Flaubert, *Correspondance*)

Piste d'atterrissage pour mouches

13

S'être coiffé avec un pétard

CHAMAILLERIE

Se crêper le chignon, XIXe siècle

Se bagarrer physiquement ou verbalement. On l'emploie plutôt pour les femmes, à cause de l'allusion à leurs cheveux, par lesquels elles s'empoignent lorsqu'elles en viennent aux mains. Lorsque la dispute est très violente, on « *tombe à bras raccourcis sur quelqu'un* » puis on « *lui arrache les yeux* ».

COIFFURE

S'être coiffé avec un pétard, XXe siècle

Avoir les cheveux dressés sur la tête. Se dit avec humour pour se moquer d'une personne très mal coiffée.

COMPLOT

Il y a anguille sous roche, XVIIe siècle

Il se prépare quelque chose en secret que l'on soupçonne d'être malhonnête. « *J'ignore ce qui se trame dans cette maison, il me semble que ses habitants font bien des mystères, je pense qu'il y a anguille sous roche.* »

CRÉDULE

Avaler une couleuvre, XIXe siècle

Croire un mensonge énorme, comme dans l'expression « *s'en laisser conter* ». « *Il lui est plus difficile de comprendre comment les drôles de zèbres que nous sommes peuvent avaler tant de couleuvres.* » (Pierre Daninos, *Made in France*). En revanche, « *avaler des couleuvres* », qui date du XVIIe siècle, veut dire supporter des humiliations sans pouvoir se défendre.

CRÉPUSCULE

Entre chien et loup, XIIIe siècle
Il s'agit du moment de la journée situé entre la tombée du jour et
l'arrivée de la nuit. Dans la semi-pénombre, seules se découpent
les silhouettes et on ne saurait distinguer un chien d'un loup.
L'origine de cette expression remonte à l'Antiquité.

16

…« À l'heure où dans les champs l'ombre des monts s'allonge. » (Victor Hugo, Aristophane, in La Légende des siècles).

17

D

DÉMISSIONNER

Rendre son tablier, XIXᵉ siècle

Abandonner une entreprise, comme la cuisinière rend son tablier pour signifier qu'elle ne veut plus faire la cuisine. On dit encore « *laisser tomber* » ou « *déclarer forfait* » ou « *baisser les bras* ».

DÉTESTER

Ne pas pouvoir voir quelqu'un en peinture, XIXᵉ siècle

Avoir une telle aversion pour quelqu'un que l'on ne supporte ni son portrait ni même de penser à lui. On peut aussi « *avoir une dent contre quelqu'un* » ou « *l'avoir dans le nez* ». Cette personne peut aussi « *vous sortir par les yeux* ». « *Souvent je rencontre chez elle le soir un certain comte de N… qui croit avancer ses affaires en faisant ses visites à onze heures, en lui envoyant des bijoux tant qu'elle en veut ; mais elle ne peut pas le voir en peinture.* » (Alexandre Dumas, La Dame aux camélias)

DÉVOUEMENT

Se mettre en quatre, XIXᵉ siècle

Se consacrer de façon zélée à quelque chose sans compter ni son temps ni son énergie, comme si l'on se multipliait par quatre personnes.

DORMIR

Faire le tour du cadran, XVIIIᵉ siècle

Dormir pendant douze heures d'affilée, c'est le temps pour la petite aiguille qui indique les heures de faire le tour complet du cadran (comme vous le savez, la grande aiguille indique les minutes).

Se mettre en quatre

Monter sur ses grands chevaux

EMPORTEMENT

Monter sur ses grands chevaux, XVIIe siècle

S'emballer sur un sujet avec détermination et arrogance, sur un ton à la limite de la colère. Autrefois, les chevaliers choisissaient leurs plus grands chevaux pour aller au combat.

ENDURER

Manger de la vache enragée, XVIIe siècle

Vivre dans la pauvreté et les difficultés. L'expression très proche et plus ancienne « *avoir mangé de la vache enragée* » signifie que l'on a l'expérience des épreuves de la vie, et non pas que l'on a perdu la raison pour avoir consommé de la vache folle ! Il s'agit d'une référence aux temps de guerre et de famine où les soldats et les populations affamés en étaient réduits à se nourrir d'animaux malades, même atteints de la rage, pourtant impropres à la consommation.

ÊTRE EXPOSÉ

Être entre le marteau et l'enclume, XIIIe siècle

Se trouver au milieu de deux camps adverses au risque de recevoir des coups, « *être entre deux feux* ». La position de celui qui serait entre le marteau et l'enclume exprime bien le danger que présente une telle situation.

EXAGÉRATION

La goutte d'eau qui fait déborder le vase, XIXe siècle

C'est le nouvel élément qui, s'ajoutant aux autres, fait qu'une situation devient insupportable et qu'elle explose. « *La coupe est pleine !* », « *trop c'est trop* » ou « *en avoir ras le bol* » ont le même sens.

FAGOTER

Ficelé comme un saucisson, XXᵉ siècle

Vêtu de vêtements trop petits qui boudinent. On trouve aussi l'analogie avec le saucisson dans l'expression « *être mal ficelé* ». Si l'on n'aime pas la charcuterie, on dira « *être fichu comme l'as de pique* » ou « *ficelé comme un sac* ».

F

FIER

Fier comme Artaban, XVIIe siècle

À l'origine, cette comparaison avec un personnage de l'ouvrage de Gautier de La Calprenède, *Cléopâtre*, désignait une personne orgueilleuse. Dans son sens actuel, moins péjoratif, cette expression s'emploie pour parler d'une personne contente d'elle-même. Elle a été dénaturée par le comique Coluche et transformée en « *fier comme bar-tabac* ». « *Plus fier que tous les Artabans dont la Gascogne / Fut et sera toujours l'alme Mère Gigogne.* » (Edmond Rostand, *Cyrano de Bergerac*). On dit aussi « *fier comme un coq* », « *un pou* » ou « *un paon* ».

FILER

Prendre la poudre d'escampette, XVIIe siècle

S'enfuir à toutes jambes. La rapidité de l'action est doublement évoquée par l'image de la poudre jaillissant du canon et par le mot « escampette », du verbe « escamper » du XIVe siècle, qui signifie fuir (on pense à décamper). On dit encore « *détaler comme un lapin* », « *filer comme un zèbre* », « *prendre ses cliques et ses claques* » ou « *prendre ses jambes à son cou* », dont le sens d'origine était prendre la décision de partir, puis devint courir très vite ou fuir.

FLATTERIE

Lécher les bottes de quelqu'un, XIXe siècle

Flatter une personne avec bassesse pour obtenir quelque chose. Pour évoquer l'opportunisme, on dit aussi « *passer la brosse à reluire* », « *passer la main dans le dos* » ou « *c'est un lèche-bottes* ».

Grosso modo, XVIe siècle

Locution latine qui signifie en gros. On évalue *grosso modo* une quantité, « *à vue de nez* », « *à vue d'œil* » ou « *à la louche* » lorsqu'on ne la calcule pas exactement. « *Vous me servirez* grosso modo *dix kilos de pommes de terre.* »

Fort comme un Turc, XVIIe siècle

D'une grande force physique. Les Turcs ont toujours été réputés pour leur puissance physique et étaient considérés comme des combattants redoutables. Cette qualité reste d'actualité puisque deux sports faisant appel à la force physique sont très populaires en Turquie : l'haltérophilie et la lutte. On dit aussi « *fort comme un bœuf* », car ces placides bovins étaient utilisés aux champs pour les travaux de force.

Avoir une araignée au plafond, XIXe siècle

Être fou, comme si une araignée se promenait dans le cerveau. On employait également « *être piqué de la tarentule* ». Au XVIIIe siècle, on disait « *avoir un grain* ». Aujourd'hui, « *le petit vélo dans la tête* » a pris la place de l'araignée !

Sortir ou être hors de ses gonds, XVIIe siècle

Se mettre en colère, perdre son sang-froid, être hors de soi. Les gonds d'une porte la maintiennent dans son axe ; s'ils cèdent, la situation devient dangereuse. On peut aussi « *écumer de rage* », « *voir rouge* » ou « *avoir la moutarde qui monte au nez* » lorsqu'on vous « *échauffe les oreilles* ». ou que l'on vous « *met hors de vos gonds* ».

Avoir une araignée au plafond

G

GAFFER

Mettre les pieds dans le plat, XIXe siècle

Faire une gaffe en abordant malencontreusement un sujet de conversation. Comme de parler de son nez (qui était remarquable) à Cyrano : « *Monsieur de Neuvillette, apprenez quelque chose : / C'est qu'il est un objet, chez nous, dont on ne cause / Pas plus que de cordon dans l'hôtel d'un pendu !* » (Edmond Rostand, *Cyrano de Bergerac*)

GASPILLER

Jeter l'argent par les fenêtres, XVIIIe siècle

Dilapider l'argent par des dépenses inutiles et inconsidérées.

GOÛT

Enfourcher son dada, XXe siècle

Se lancer dans son sujet favori, et l'aborder à tout bout de champ. Équivaut à « *enfourcher son cheval de bataille* ». « *La pêche à la ligne est sa marotte et lorsqu'il enfourche son dada plus rien ne peut l'arrêter.* »

GUETTER

Ne dormir que d'un œil, XVIIe siècle

Dormir tout en restant sur ses gardes, comme le chat qui semble sommeiller mais reste prêt à bondir.

Mettre les pieds
dans le plat

H

HASARDEUX

Courir plusieurs lièvres à la fois, XVIIᵉ siècle

Convoiter en même temps plusieurs choses, au risque de toutes les perdre. On disait cela d'un homme qui faisait la cour à plusieurs dames simultanément. Le proverbe « Un *tiens vaut mieux que deux tu l'auras* » incite à la prudence ceux qui voudraient courir plusieurs lièvres à la fois.

HÉSITER

Tourner autour du pot, XVIᵉ siècle

Se sentir embarrassé, tergiverser et louvoyer avant d'aborder un sujet délicat, au lieu d'en parler franchement.

HIDEUX

Musée des horreurs, XXᵉ siècle

Accumulation en un même lieu de choses affreuses et de très mauvais goût. L'origine de cette expression vient du fait que, au XIXᵉ siècle, on exhibait dans les fêtes foraines des personnes atteintes de malformations spectaculaires, siamois, lilliputiens, géants, femmes à barbe et autres éléphantiasiques, comme le malheureux héros d'*Elephant Man*.

HILARANT

À *mourir de rire*, XVIIIᵉ siècle

C'est si drôle que, à force de « *se tenir les côtes* », on pourrait bien ne plus pouvoir reprendre son souffle et... en mourir. « *Delphine lâchait la queue du loup et, assis par terre, on se laissait aller à rire jusqu'à s'étrangler.* » (Marcel Aymé, *Les Contes bleus du chat perché*)

Se regarder en chiens de faïence, XIXᵉ siècle

Se dit de deux personnes immobiles se tenant à distance qui s'observent avec hostilité, comme les chiens en faïence qui ornaient les cheminées. « *Sur le trottoir il y a un chien / il est assis sur son cul / il regarde l'évêque / l'évêque regarde le chien / ils se regardent en chiens de faïence.* » (Jacques Prévert, *Paroles*)

29

$$\frac{2431260,238 \times 10^{-3 \times 12^4}}{4 \pi r2}$$

$$= \frac{4216 \times 7^{10-42} \times \pi}{8231 x \times (17^2) y}$$

$$\underline{\qquad} \ ?$$

Donner sa langue au chat

I

IGNORER

Donner sa langue au chat, XIXe siècle

Renoncer à trouver la réponse à une question ou à une devinette et s'en remettre à la personne qui la pose. Au XVIIe siècle, on disait *« jeter sa langue aux chiens »*.

IMBU DE SOI-MÊME

Se croire sorti de la cuisse de Jupiter, XXe siècle

Se prendre pour quelqu'un d'exceptionnel. Cette expression trouve son origine dans la mythologie romaine empruntée aux Grecs. Jupiter, le dieu souverain de l'Olympe, conçut un enfant avec une femme, Sémélé. Lorsqu'elle mourut, Jupiter recueillit l'enfant qu'elle portait pour le placer dans sa cuisse jusqu'à ce qu'il fût prêt à naître, cachant ainsi son infidélité à sa femme. C'est ainsi que naquit Bacchus, dieu du vin. L'humoriste Coluche a transformé cette expression en *« se croire sorti de la cuisine à Jupiter »*. On peut dire aussi *« avoir la grosse tête »* ou *« les chevilles qui enflent »* ou *« ne pas se moucher du pied »*.

INESTIMABLE

Tenir à quelque chose comme à la prunelle de ses yeux, XVIe siècle

Être très attaché à quelqu'un ou à quelque chose. La force de ce sentiment est exprimée par la comparaison établie avec la précieuse pupille de l'œil, indispensable à la vue. Si les yeux sont si précieux, il est logique de dire d'une chose très chère qu'elle *« coûte les yeux de la tête »* !

INFÉRIEUR

Ne pas arriver à la cheville de quelqu'un, XVIIIe siècle
Être inférieur à quelqu'un physiquement ou intellectuellement.
« *Comme je suis habile ! triompha-t-il. Pour l'habileté, personne ne me vient à la cheville.* » (James Matthew Barrie, *Peter Pan*)

33

Avoir le bras long, XIXᵉ siècle

Connaître des personnes puissantes et influentes qui peuvent intervenir dans des questions administratives ou dans le monde des affaires pour obtenir des avantages que l'on ne pourrait pas recevoir sans eux. Au XVIIIᵉ siècle, on disait que l'on « *avait les bras longs* » pour parler de sa propre influence.

Chercher une aiguille dans une botte de foin, XVIᵉ siècle

Aller à la recherche de quelque chose que l'on a peu de chances de trouver, comme « *le mouton à cinq pattes* », expression plus récente, datant du XIXᵉ siècle : il est rare de trouver un mouton à cinq pattes ! Et pourtant il arrive, très exceptionnellement, que des agneaux naissent avec une telle malformation. Aux XVIᵉ et XVIIᵉ siècles on disait « *chercher cinq pieds en un mouton* ».

L'oiseau rare, XIXᵉ siècle

Aussi introuvable que l'aiguille dans une botte de foin ou que le mouton à cinq pattes mais recherché pour ses qualités exception-nelles.

Ne pas voir plus loin que le bout de son nez, XVIᵉ siècle

Manquer de jugement et de réflexion. « *Mademoiselle, dit Labal avec calme, permettez-moi de vous dire que vous raisonnez comme un manche, ne voyez pas plus loin que le bout de votre nez et utilisez de travers votre matière grise.* » (Raymond Queneau, *Les Fleurs bleues*).

Chercher une aiguille dans une botte de foin

JALOUX

Jaloux comme un tigre, XVIᵉ siècle
Très possessif envers la personne aimée, au point de dévorer tout cru quiconque s'y intéresse. Le tigre n'a pas la réputation d'être particulièrement jaloux mais celle d'être très féroce. La force du sentiment est évoquée ici à travers la vivacité des réactions de celui qui est en proie à la jalousie.

36

J

Quand les poules auront des dents, XIXᵉ siècle

C'est-à-dire jamais, ou encore « *à la Saint-Glinglin* » ou « *à Pâques ou à la Trinité* », comme dans la chanson *Malbrough s'en va-t-en guerre*, dont le héros devait revenir à Pâques ou à la Trinité et ne revint jamais.

La semaine des quatre jeudis, XIXᵉ siècle

Cela veut dire jamais. Au XVᵉ siècle, on parlait de « *la semaine des deux jeudis* », le jeudi étant jour de réjouissance à la veille du vendredi, jour de jeûne. À partir du XVᵉ siècle, l'expression devient « *la semaine des trois jeudis* ». Enfin, au XIXᵉ siècle, « *la semaine des quatre jeudis* » fait référence au jour de congé scolaire. Au XXIᵉ siècle, dira-t-on « *la semaine des deux, trois ou quatre mercredis* » ou cette expression passera-t-elle aux oubliettes ? On pourra alors toujours dire « *tous les trente-six du mois* », tout aussi improbable. « *Oui, je sais, la semaine des quatre jeudis ! C'est ce jour-là qu'on l'aura, le paradis sur terre.* » (Jean Richepin, *Théâtre chimérique*)

Mettre sa main au feu, XVIIᵉ siècle

Être certain de ce que l'on dit. Au Moyen Âge, lors de procès, les juges soumettaient l'accusé à l'épreuve du feu (eau chaude ou fer rouge), car on croyait au jugement de Dieu : brûlé, l'accusé était coupable, indemne, il était innocent. On peut également « *en mettre sa main à couper* » ou « *sa tête sur le billot* ».

K

Gras comme un moine, XVIIe siècle

Gros, bien dodu. Dès le IVe siècle, des moines se regroupent en communautés, retirés du monde, pour consacrer leur vie à la prière, au travail manuel et aux activités intellectuelles dans l'austérité exigée par la règle de leur ordre. Ce choix de vie remporte un immense succès, les monastères deviennent des foyers de vie spirituelle et intellectuelle et reçoivent des dons des fidèles. Leur situation devient ainsi paradoxale car la richesse des grandes abbayes ramène inévitablement ses membres aux biens matériels alors qu'ils voulaient s'en détacher. Les expressions « *gras comme un moine* », « *un chanoine* » ou « *un chantre* » expriment bien cette contradiction entre la sobre règle monastique et le fait que certains religieux bons vivants ne dédaignaient pas les plaisirs de la table que permettaient les produits des terres de leurs abbayes. On dit aussi « *gras comme un cochon* » ou « *comme une caille* ».

N'avoir que la peau sur les os, XIXe siècle

C'est le contraire d'être gras comme un moine ! Au XIIe siècle, on disait « *n'avoir que la peau et les os* », au XVIe siècle, « *n'avoir plus que les os cousus à la peau* », au XIXe siècle, on disait aussi « *être un squelette ambulant* » ou « *un sac d'os* ». Aujourd'hui, on dit « *maigre comme un coucou* », ou « *comme un clou* ». « *Vous n'avez plus que la peau sur les os... vous êtes comme un moineau.* » (Honoré de Balzac, *Le Cousin Pons*)

Une taille de guêpe, XIXᵉ siècle
Avoir la taille si fine qu'elle se démarque très nettement du torse et des hanches, comme celle de l'insecte. Mais il faut « *avoir un appétit d'oiseau* » pour rester mince.

VOUS N'AVEZ PAS LA PRIORITE

Avancer comme une limace

L

LABEUR

Faire bouillir la marmite, XVIIIᵉ siècle

Travailler pour faire vivre sa famille. La marmite est au centre du foyer, elle en est la vie, symbolisant la chaleur et la nourriture, mais encore faut-il la remplir.

LENT

Avancer comme une limace, XXᵉ siècle

Marcher avec lenteur. On dit aussi « *avancer comme un escargot* » ou « *aller à pas de tortue* ».

LIBERTÉ

Être libre comme l'air, XIXᵉ siècle

C'est disposer complètement de soi-même, être totalement dégagé de toute contrainte. Dans plusieurs expressions, l'élément aérien symbolise la liberté : « *prendre l'air* », « *donner de l'air* », « *s'aérer l'esprit* », « *jouer la fille de l'air* », « *à l'air libre* ».

LONGILIGNE

Une grande perche, XVIIᵉ siècle

Personne longiligne. Si autrefois on n'aimait pas les grandes maigres, elles semblent correspondre à l'image idéale de la femme d'aujourd'hui, à en juger par la mine des mannequins des maga-zines. « *Grande sauterelle* » et « *grande bique* » désignent aussi des personnes (homme ou femme) « *longues comme un carême* ». « *Elle n'est pas très polie. Elle dit que tu es une grande perche très moche et qu'elle est ma fée, à moi.* » (James Matthew Barrie, *Peter Pan*)

M

MALADROIT

Comme un éléphant dans un magasin de porcelaine, XXe siècle

Avec balourdise et maladresse dans les gestes ou dans les propos, alors que la situation demande attention ou finesse.

MALPROPRE

Sale comme un peigne, XIXe siècle

Crasseux comme le peigne qui n'est jamais nettoyé. Sont aussi considérés comme sales le pou (qui vit sur le cuir chevelu et nous ramène au peigne) et, bien sûr, le cochon. Le contraire est « *propre comme un sou neuf* ».

MALVEILLANCE

Marcher sur les plates-bandes de quelqu'un, XXe siècle

Empiéter volontairement sur le domaine d'un autre par esprit de rivalité ; comme le ferait celui qui piétinerait les plantations de son rival pour les détruire ou qui lui « *marcherait sur les pieds* » ou encore « *lui couperait l'herbe sous les pieds* » en le devançant.

MÉFIANCE

Ne pas savoir à quelle sauce on sera mangé, XVIIe siècle

Sentir qu'un danger ou un événement désagréable se prépare tout en ignorant tout de ce qui va se produire. Allusion à la préparation culinaire du gibier ou du poisson. Dans *La Guerre des boutons*, de Louis Pergaud, Bacaillé, qui a trahi ses camarades, ne sait pas à quelle sauce il sera mangé : « *Quel supplice doit-on lui faire subir ? – Le saigner ! rugirent dix voix. – Le pendre ! beuglèrent dix autres. – Le châtrer ! grondèrent quelques-unes. – Lui couper la langue !* »

Ne pas savoir à quelle sauce on sera mangé

MÉLANCOLIE

Errer comme une âme en peine, XIXᵉ siècle

Traîner avec tristesse parce que l'on a « *le cafard* » ou que l'on « *broie du noir* ».

MÉSENTENTE

Laver son linge sale en famille, XVIIIᵉ siècle

Régler ses disputes sans témoins. Napoléon en avait fait sa devise pour ses querelles familiales : « *C'est en famille qu'on lave son linge sale.* »

Il y a de l'eau dans le gaz, XXᵉ siècle

Il y a une tension, les relations entre des personnes ne vont pas tarder à se dégrader. Au début du XXᵉ siècle, la condensation de la vapeur d'eau présente dans le gaz de ville provoquait des coupures, annoncées sur les cuisinières par une flamme orangée. Sur le même thème de la dispute conjugale qui se déroule dans la cuisine, au cœur du foyer, on trouve aussi l'expression « *le torchon brûle* ».

MÉTICULEUX

Couper les cheveux en quatre, XIXᵉ siècle

S'arrêter à tous les détails, être pointilleux. Au XVIIIᵉ siècle, on était probablement encore plus minutieux puisque l'on « *coupait le cheveu en quatre* ».

MISER

Jouer jusqu'à sa chemise, XVIIᵉ siècle

Miser tout ce que l'on possède, comme le joueur insatiable et incapable de s'arrêter, au risque de se retrouver en chemise, c'est-à-dire ruiné. Dostoïevski, qui avait tout perdu à la roulette, décrivit sa propre passion du jeu dans *Le Joueur*.

Laver son linge sale en famille

N

Il n'y a pas de quoi fouetter un chat, XVIIᵉ siècle

Le fait est insignifiant et ne mérite pas de sanction. L'expression « *avoir d'autres chats à fouetter* » est assez proche, puisqu'elle signifie avoir des affaires plus importantes à traiter. « *S'agit-il d'un complot ou d'un crime (…) mais comprenez donc, monsieur le Baron, qu'ils ont d'autres chats à fouetter que de s'occuper des cinquante mille amourettes de Paris.*» (Honoré de Balzac, *Splendeurs et misères des courtisanes*)

NEZ

Avoir le nez en trompette, XIXᵉ siècle

Avoir un nez retroussé en forme de pavillon de trompette. Il arrive que l'on ait « *un nez en pied de marmite* », large et arrondi, « *nez d'as de trèfle* », gros et plat, ou un gros « *nez de rhinocéros* ».

Qui a mieux parlé du nez qu'Edmond Rostand dans *Cyrano de Bergerac* ? « *Un grand nez est proprement l'indice / D'un homme affable, bon, courtois, spirituel / Libéral, courageux, tel que je suis.* » ou encore la célèbre tirade de Cyrano : « *C'est un roc !… c'est un pic !… c'est un cap ! Que dis-je, c'est un cap ?… C'est une péninsule !* »

L'écrivain du XVIIᵉ siècle Savinien de Cyrano de Bergerac, dont s'inspira Edmond Rostand dans sa célèbre pièce, était affublé d'un nez remarquable. Il jugeait que le nez était le reflet de l'âme : « *À la longueur du nez se mesurent la vaillance, l'esprit, la passion, la finesse ; le nez est le siège de l'âme : aucun animal n'a le nez de l'homme.* »

NOYADE

Se noyer dans un verre d'eau, XVIIe siècle
Être débordé face à une petite difficulté, « *s'en faire une montagne* ».
À l'origine cela signifiait être malchanceux. On disait aussi « *se noyer dans un crachat* ».

Scier la branche sur laquelle on est assis, XXᵉ siècle
Se nuire en retournant contre soi une situation qui était favorable.
On peut dire aussi que l'on se saborde : en un mot, on coule son
propre bateau !

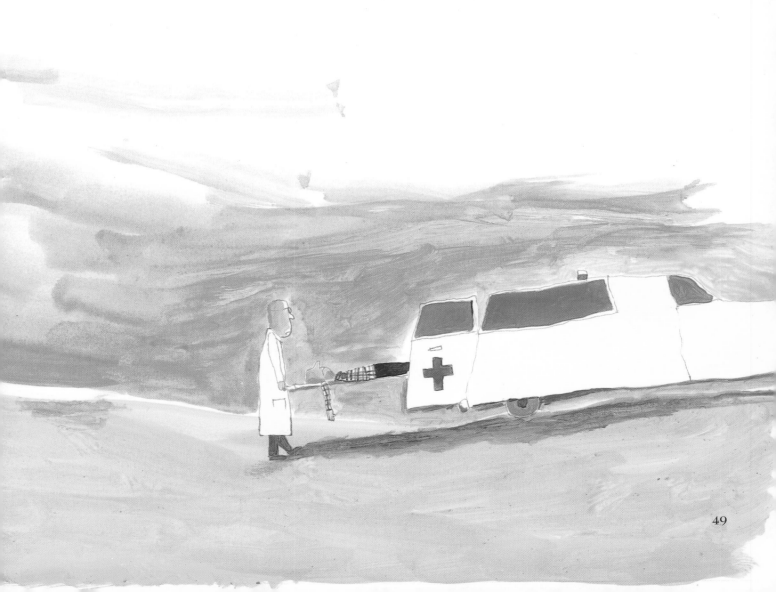

O

OBSTINÉ

Ne pas céder d'une semelle, XVIᵉ siècle

Rester campé sur ses positions. Cette expression vient du vocabulaire de l'escrime. « **Ne pas céder d'un pouce** » ou « *ne pas bouger d'un millimètre* » ont le même sens.

OCCASION

Il faut battre le fer tant qu'il est chaud, XVᵉ siècle

Il faut traiter une affaire sans attendre, si le moment est opportun. Comme le fer, auquel on doit donner la forme souhaitée lorsqu'il est chaud et malléable, sans attendre qu'il refroidisse. Pour dire que l'on doit saisir une occasion sans attendre, quand elle se présente, on emploie aussi l'expression « *saisir la balle au bond* ». « *Tiens c'est vrai ! cria Baudu. Nous irons le voir après déjeuner. Il faut battre le fer pendant qu'il est chaud.* » (Émile Zola, *Au bonheur des dames*)

OISIVETÉ

Avoir un poil dans la main, XIXᵉ siècle

Être très paresseux, « *comme une couleuvre* », « *comme un lézard* », « *comme un loir* ». « *Elle disait que le jardin lui donnait des douleurs. Alors, papa lui a répondu : Joséphine, vous avez un poil dans la main.* » (R. Benjamin, *Les Justices de paix*). Le langage du XXᵉ siècle a souvent eu tendance à ajouter des superlatifs tels que hyper, super, méga, top. On constate cette même évolution avec la récente expression « *avoir un baobab dans la main* ».

Ne pas céder d'une semelle

P

PÂLE

Avoir une mine de papier mâché, XIXᵉ siècle

C'est avoir mauvaise mine, avec le teint blanchâtre comme le papier mâché qui était fabriqué à base de plâtre. Au XVIIᵉ siècle, madame de Sévigné utilise la comparaison avec le « *papier mouillé* » pour parler d'une personne affaiblie. On dit encore être « *blanc comme un linge* » ou « *comme un cachet d'aspirine* ».

PÉDANTERIE

Parler comme un livre, XVIIᵉ siècle

Voilà l'exemple d'une expression dont le sens a évolué plusieurs fois au cours des siècles. À l'origine, on disait de quelqu'un qu'il parlait comme un livre pour dire que son discours était savant et étayé de réelles connaissances. Puis son emploi prend un tour péjoratif, c'est étaler sa science de façon docte et ennuyeuse. Aujourd'hui, on désigne ainsi une personne dont le langage est recherché, un peu précieux. « *Un gosse un peu timide, qui parle comme un livre, subjonctifs et tout…* » (Daniel Pennac, *La Petite Marchande de prose*).

PETIT

Haut comme trois pommes, XXᵉ siècle

Petit, surtout employé en parlant des enfants. Celui qui est vraiment très petit est « *grand comme la main* » ou « *comme une botte* » (comme le Petit Poucet face aux « bottes de sept lieues » de l'ogre).

PEUREUX

Avoir peur de son ombre, XVIIᵉ siècle

Être d'un caractère craintif qui rend incapable d'affronter des situations demandant un certain courage.

PLEURER

Pleurer toutes les larmes de son corps, XIXᵉ siècle

Pleurer tellement que l'on épuiserait sa réserve de larmes si celle-ci était limitée. On peut aussi pleurer comme « *une fontaine* », « *un veau* », « *une vache* », « *une Madeleine* » (la sainte repentante et non pas le gâteau ! – cette expression date du XIVᵉ siècle) et « *pleurer à chaudes larmes* ».

PRÉCIPITATION

Mettre la charrue avant les bœufs, XVIIIᵉ siècle

Inverser l'ordre des choses à exécuter et les faire avec précipitation.
Au XVᵉ siècle, on disait « *mettre la charrue devant les bœufs* » pour parler d'une tâche désordonnée ; la charrue ne saurait tirer les bœufs !

Tirer le diable par la queue, XVIIe siècle

Vivre dans de grandes difficultés matérielles. On peut employer aussi l'expression « *avoir du mal à joindre les deux bouts* ».

Sauter du coq à l'âne, XVe siècle

Passer d'un sujet à un autre sans transition, ce qui peut priver de sens le discours qui deviendrait alors « *sans queue ni tête* ».

Marcher sur des œufs, XVIIᵉ siècle

Agir avec une extrême prudence dans une situation délicate. On employait également l'expression « *marcher sur des épines* ».

Q

QUANTITÉ

Comme des petits pains, XIXe siècle

Beaucoup. On l'emploie ainsi : « *ils se sont vendus comme des petits pains* » ou « *ils sont partis comme des petits pains* », c'est-à-dire que ces marchandises ont été vendues en grandes quantités. Y a-t-il un rapport avec les récits de la multiplication des pains que l'on trouve dans les Évangiles ? Avec cinq pains, Jésus nourrit la foule. Avec les restes, on remplit encore douze paniers. La surabondance exprime le don divin : Dieu donne beaucoup et même trop car il ne compte pas.

QUELCONQUE

Ce n'est pas le Pérou, XIXe siècle

Cela n'a rien d'extraordinaire. On peut rapprocher cette expression argotique de « *ça ne casse pas trois pattes à un canard* », « *ça ne casse pas des briques* » ou « *ce n'est pas terrible* ». À l'origine, on désignait ainsi une somme peu importante ou un gain modeste par opposition au Pérou où les conquistadors espagnols espéraient trouver de l'or en abondance.

QUERELLEUR

Chercher des poux dans la tête de quelqu'un, XVIIIe siècle

Chercher querelle, « *faire des histoires* », « *chercher noise* », utiliser n'importe quel prétexte pour engager une dispute.

QUIÉTUDE

Dormir sur ses deux oreilles, XIXᵉ siècle

Avoir un sommeil serein, dormir en toute quiétude. L'expression *« dormir du sommeil du juste »* est très proche : le juste n'est pas tourmenté par sa conscience. *« Vous dormez sur vos deux oreilles comme on dit. Moi je me promène et je veille dans la nuit. Je vois des ombres, j'entends des cris. »* (Jacques Prévert, *La Pluie et le Beau Temps*)

R

RENONCER

Jeter le bébé avec l'eau du bain, XXᵉ siècle

Rejeter dans son ensemble un projet trop difficile, même s'il comprenait des éléments à garder (le bébé !). Cette expression a évolué, elle signifiait se tromper en faisant les choses dans le désordre.

REPRÉSAILLES

Le coup de pied de l'âne, XVIIIᵉ siècle

Attaques ou injures proférées à l'encontre d'une personne que l'on craignait et dont on ne risque plus rien. Dans la fable de Jean de La Fontaine *Le Lion devenu vieux*, le lion, autrefois terreur des animaux, une fois devenu vieux, reçoit les coups de ses anciennes victimes et enfin, comme dernière humiliation, de l'âne.

RÉVEIL

Réveil en fanfare, XXᵉ siècle

Réveil brusque, en sursaut. Il s'agit d'une comparaison avec le réveil des soldats pour qui sonnait le clairon dans les casernes.

RÊVER

Faire des châteaux en Espagne, XIIIᵉ siècle

Rêver de choses impossibles à réaliser, de projets inaccessibles. C'est une des rares expressions qui a traversé les siècles sans changer de signification. Faire des châteaux en Espagne, c'est « *nourrir de folles chimères* » (du nom du monstre fabuleux au corps de chèvre, à la tête de lion et à la queue de dragon qui se nourrissait d'hommes et de bétail).

Réveil en fanfare

TSOIN TSOIN

RIEN

Donner un coup d'épée dans l'eau, XVIIᵉ siècle
C'est agir de façon inutile, inefficace, pour rien, « *pour des prunes* ».

SERRÉS

Serrés comme des sardines, XXᵉ siècle

Tassés les uns contre les autres comme des sardines dans une boîte de conserve. La comparaison presque identique « *serrés comme des harengs en caque* » (barrique où l'on conserve et où l'on presse les harengs) a exactement le même sens. « *Sur la plate-forme arrière de ce chef-d'œuvre de l'industrie automobile française contemporaine, où se serraient des transbordés comme harengs en caque.* » (Raymond Queneau, *Exercices de style*).

S

Se souvenir

Faire un nœud à son mouchoir, XXᵉ siècle

Si l'on « *n'a pas de tête* » ou si « *en se creusant la tête* » on ne parvient pas à se rappeler les choses, il faut faire un nœud à son mouchoir. Mais comment faire avec les mouchoirs en papier, on risque de jeter son pense-bête ! Au XVIIᵉ siècle, on « *mettait une épingle sur sa manche* ». À l'heure actuelle, on utilise un agenda électronique (*notebook*, en anglais) ou un magnétophone miniature qui enregistre directement le son de notre voix : c'est formidable les progrès de la technique ! Bientôt, qui sait, on aura une puce dans l'oreille qui nous dira : « Dis-donc, chéri, tu n'as pas oublié ta déclaration d'impôts ? tu as jusqu'à ce soir minuit, *"fais un nœud à ton mouchoir !"* »

Silence (faire)

Tenir sa langue, XVIIᵉ siècle

Savoir se taire (alors qu'on aurait peut-être des choses à révéler…). Lorsque l'on reçoit de l'argent pour ne pas divulguer un secret, on « *a un bœuf sur la langue* ». L'origine de cette locution vient de l'image du bœuf représenté sur les monnaies grecques et romaines. Le silence ainsi acheté, on restait « *muet comme une carpe* ».

Silence (imposer)

River son clou à quelqu'un, XIXᵉ siècle

Répondre vertement et laisser sans voix la personne qui nous importune. On dit aussi « *clouer le bec* » ou « *remettre quelqu'un à sa place* ».

SINCÉRITÉ

Parler à cœur ouvert, XVIIe siècle
S'exprimer avec franchise, sans rien cacher, « *ouvrir son cœur* ». On peut encore « *jouer cartes sur table* », c'est-à-dire à jeu découvert, sans rien dissimuler de ses intentions.

SORTIR

Prendre la porte, XVIIIe siècle
Sortir, quitter une pièce ou une maison. On dit aussi « *débarrasser le plancher* », « *mettre les voiles* », « *lever l'ancre* » (plus marin) ou « *lever le camp* » (plus militaire).

SOUCIEUX

Tourner comme un ours en cage, XIXe siècle
Être tourmenté par l'inquiétude et ne pas tenir en place, comme les fauves enfermés.

SOURD

Sourd comme un pot, XVIIIe siècle
Dur d'oreille, « *sourd comme un tapis* » ou « *comme une pioche* ». Alors que « *faire la sourde oreille* », c'est ignorer une requête.

SOUTIRER

Tirer les vers du nez, XVIe siècle
Faire parler habilement quelqu'un pour lui soutirer des informations qu'il aurait voulu garder secrètes.

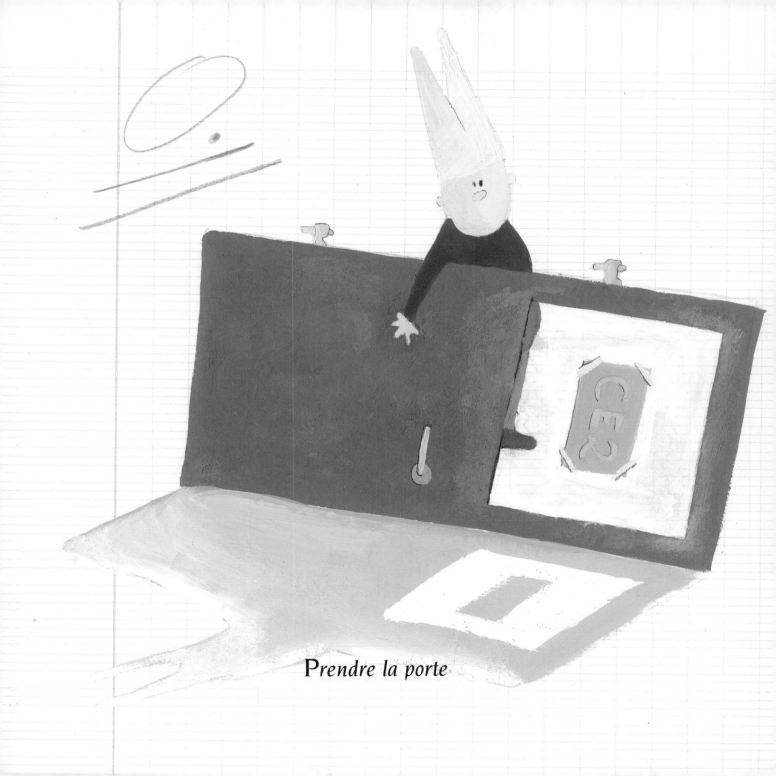

Prendre la porte

SUSCEPTIBLE

Prendre la mouche, XXe siècle

Dans les expressions « *prendre la mouche* », « *être piqué au vif* » « *quelle mouche l'a piqué ?* » la mouche évoque une colère soudaine, par analogie avec la réaction immédiate que provoque la piqûre d'un insecte. Au XVIIIe siècle, on disait « *monter comme une soupe au lait* », dont il nous est resté « *être soupe au lait* » qui désigne une personne de nature à s'emporter facilement, comme celui qui « *a la tête près du bonnet* ».

T

TAQUINER

Mettre quelqu'un en boîte, XXᵉ siècle
Se moquer de quelqu'un ou rire d'une personne sans repartie qui se retrouve coincée, comme enfermée dans une boîte. Plus familièrement, « *on se paye la tête de quelqu'un* ».

TERRIFIER

Faire dresser les cheveux sur la tête, XVIIᵉ siècle
Ressentir une sensation très forte de dégoût et d'horreur au point de voir ses cheveux se hérisser. On peut dire aussi « *donner la chair de poule* ». « *Elle raconta d'autres tueries, elle ne tarissait pas sur le ménage, savait des choses à faire dresser les cheveux sur la tête.* » (Émile Zola, L'Assommoir)

TERRORISER

Donner des sueurs froides, XVIIIᵉ siècle
Faire peur, « *glacer le sang* ». La sueur peut-elle être froide ? Oui, vraiment, lorsque l'on éprouve une grande terreur.

TRAHISON

Peau de banane, XXᵉ siècle
Piège, par analogie avec la peau de banane qui fait glisser et… tomber celui qui pose le pied dessus.

Tomber les quatre fers en l'air, XVIIᵉ siècle
Tomber à la renverse comme le cheval qui a trébuché et dont les sabots ferrés se dressent en l'air. « *Bibi-Lupin sauta courageusement à la gorge de Jacques Collin, qui, l'œil à son adversaire, lui donna un coup sec et l'envoya les quatre fers en l'air à trois pas de là.* » (Honoré de Balzac, *Splendeurs et misères des courtisanes*)

TROUVER

Découvrir le pot aux roses, XIIIe siècle
Mettre au jour un secret. On ne connaît pas bien l'origine de cette très vieille expression, on sait seulement que, dans l'Antiquité, le rose était symbole de silence et de secret.

U

UNION

Mettre la corde au cou, XXᵉ siècle

Épouser quelqu'un ; « *se mettre la corde au cou* », c'est se marier. La corde fait référence au lien du mariage, mais l'analogie avec la corde des condamnés donne un sens péjoratif à cette expression. Elle paraît encore plus négative lorsque l'on sait qu'au XVIIᵉ siècle elle signifiait être pris au piège, à moins que ce soit le piège de l'amour qui rende les cœurs prisonniers ! Une autre expression « *avoir la bague au doigt* », est moins lourde de sous-entendus.

UNISSON

Être à l'unisson, XVIIIᵉ siècle

Être d'accord, en harmonie, comme l'orchestre qui, lorsqu'il joue à l'unisson, est sur le même ton. Plusieurs expressions utilisent des métaphores musicales pour parler d'accord : « *se mettre au diapason* », « *accorder ses violons* », « *être dans la note* », « *être dans le ton* ».

URGENCE

Une course contre la montre, XXᵉ siècle

Situation où l'on doit agir le plus vite possible. Empruntée au vocabulaire cycliste, cette idée évoque le coureur qui pour gagner doit battre le meilleur temps. « *Je connaissais un sportif qui prétendait avoir plus de ressort que sa montre. Il a remonté sa montre, il s'est mis à marcher en même temps qu'elle. Lorsque le ressort de la montre est arrivé en bout de course, la montre s'est arrêtée. Lui a continué et il a prétendu avoir gagné en dernier ressort.* » (Raymond Devos, *Sauver la face*)

Un *château de cartes*, XVIIe siècle

Projet dont les bases ne sont pas solides et voué à l'effondrement comme l'éphémère château de cartes. C'est aussi une construction de mauvaise qualité. « *Bâtir sur le sable* » signifie également entreprendre un projet sur des fondations fragiles, comme dans l'Évangile de saint Matthieu, dans lequel « *un homme insensé bâtit sa maison sur le sable* ».

Rouler à tombeau ouvert

V W

Valeur

Valoir son pesant d'or, XIIIe siècle

Être aussi précieux que son poids en or. À l'inverse, au XVIIe siècle, « *valoir son pesant de plomb* » signifiait avoir beaucoup de défauts. Quant à « *valoir son pesant de cacahuètes* », c'est être cocasse.

Vieillissement

Chef-d'œuvre en péril, XXe siècle

Une œuvre qui représente un sommet dans l'art de son créateur, et qui est non entretenu, menacé de détérioration ou de destruction (par exemple, si on laissait rouiller la Tour Eiffel elle serait un chef-d'œuvre en péril). Par extension, se dit d'un vieillard croulant, d'un chanteur sur le point de perdre sa voix. En ce qui concerne les objets vétustes et délabrés, (plus près de l'argot), on dira « *ne plus être coté à l'Argus* » ou « *c'est un vieux rossignol* ».

Vieux

Ridé comme une vieille pomme, XIXe siècle

Se dit d'un visage à la peau parcheminée, telle la pomme qui commence à se dessécher.

Vitesse

Rouler à tombeau ouvert, XVIIIe siècle

Conduire trop vite au risque de transformer son véhicule en cercueil roulant. Plusieurs expressions évoquent la vitesse au volant : « *appuyer sur le champignon* », « *rouler à fond la caisse* », « *mettre les gaz* », « *aller sur les chapeaux de roues* ».

VITUPÉRER

Sonner les cloches à quelqu'un, XXe siècle
Reprocher vivement quelque chose à quelqu'un, le gronder, lui « *passer un savon* ». La force de la réprimande est exprimée par la comparaison avec le son des cloches, très pénible si l'on en est proche.

VOIX

Avoir du coffre, XXe siècle
Avoir du souffle, pour un chanteur : sa cage thoracique est comparable au "sommier", partie de l'orgue dans laquelle les soufflets injectent de l'air qui va passer dans les tuyaux et les faire vibrer.

VOLER

Être volé comme dans un bois, XIXe siècle
Se retrouver sans défense face à un voleur. Autrefois, les bandits de grand chemin opéraient de préférence dans les bois, profitant de l'isolement de leurs victimes.

VUE

Myope comme une taupe, XIXe siècle
Se dit d'une personne qui a une très mauvaise vue, comme la taupe qui n'a pas besoin de voir puisqu'elle vit sous la terre.

Des yeux de lynx, XVIIe siècle
De très bons yeux, comme ceux du félin qui a cette réputation, en réalité exagérée bien qu'il voie la nuit. Cette expression voulait dire tout d'abord informé de tout et puissant.

Sonner les cloches

x Y

Yeux

Yeux de gazelle, XIXᵉ siècle

Comme les « *yeux de biche* », ils donnent aux femmes un regard langoureux et plein de douceur. « (…) *Ses camarades regardaient avec intérêt sa pâleur d'herbe flétrie, ses yeux de gazelle mourante, sa pose mélancolique.* » (Honoré de Balzac, *Splendeurs et misères des courtisanes*)

Z

Zizanie

Semer la zizanie, XVIIᵉ siècle

Répandre la discorde. La zizanie (du latin *zizania*) est l'ivraie, une graminée aquatique et toxique, asiatique et américaine. Un champ de blé où un malfaisant à jeté de l'ivraie est presque impossible à moissonner, parce qu'il faut sans cesse « *séparer le bon grain de l'ivraie* ». Les discordes entre les moissonneurs font que l'ivraie symbolise le diable, celui qui répand dans le monde la discorde et la division (voir l'Évangile selon Saint Matthieu).

INDEX DES EXPRESSIONS

INDEX DES EXPRESSIONS

INDEX DES EXPRESSIONS

INDEX DES EXPRESSIONS

INDEX DES EXPRESSIONS

INDEX DES EXPRESSIONS